Introduction

دیوالی کیا ہے ؟

دیوالی کا تہوار اکتوبر یا نومبر کے مہینے میں آتا ہے اور ساری دنیا کے ہندو اس کو جوش و خروش سے مناتے ہیں ۔ یہ ایک جادو بھرا وقت ہے جو پورا خاندان مل کر گزارتا ہے اور لکشمی، دولت کی دیوی کی پوجا کی جاتی ہے جو سب کے لئے اچھی قسمت اور دولت لے کر آتی ہے ۔ یہ تہوار شہزادہ رام اور ان کی بیوی سیتا کی برسوں کے بن باس کے بعد محل میں واپسی کی تقریب بھی مناتا ہے ۔ ان کی کہانی رامائن کی شاندار نظم میں سُنائی گئی ہے ۔ مٹھائیوں کے انبار ، پارٹیاں ، کہانیاں اور آتش بازی ، یہ سب چیزیں مل کر اس تہوار کو بچوں کا من پسند دن بناتی ہیں ۔

What is Diwali?

Diwali, a festival of lights which falls in October or November is observed by Hindus all over the world. It is a magical family time that honours Lakshmi, the Goddess of Wealth who brings good fortune and prosperity to all throughout the year. It also celebrates the homecoming of Prince Ram and his wife Sita after years of exile, as told in the Hindu epic *Ramayana*. Lots of sweets, parties, storytelling and fireworks make this a holiday particularly loved by children.

گیتا کے لئے روشنیاں

Lights For Gita

Written by Rachna Gilmore

Illustrated by Alice Priestley

Urdu Translation by Qamar Zamani

MANTRA

گیتا نے بس سے اترتے وقت اپنا ہیٹ کانوں سے نیچے کھینچ لیا۔

" دیوالی " اس نے سرگوشی کی "آج تو سچ مچ دیوالی ہے! "

لیکن نومبر کے سوگوار موسم میں دیوالی کے کوئی آثار نہیں تھے۔

Gita pulled her hat down over her ears as she stepped off the bus.

"Diwali," she whispered. "Today's really and truly Diwali."

But nothing in the November gloom seemed like Diwali.

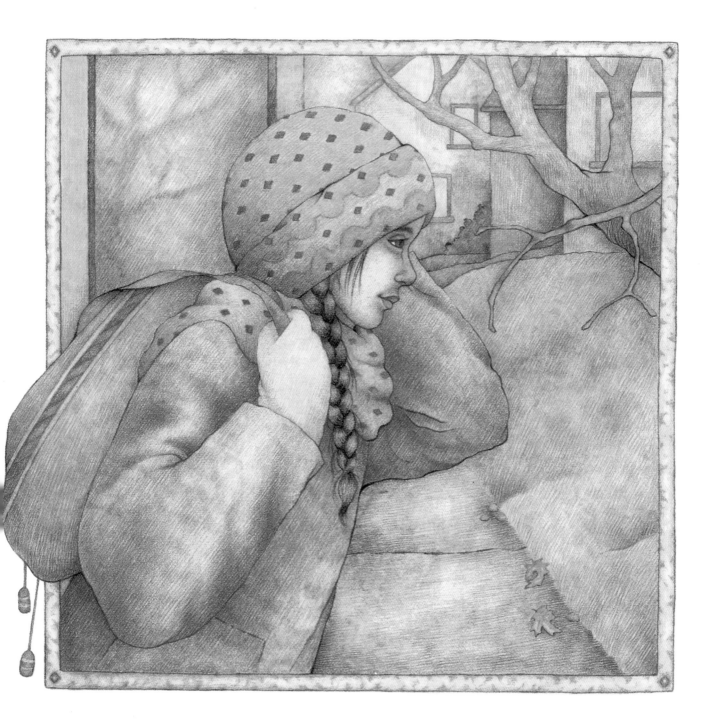

آج نئی دہلی تقریبات کی خوشیوں سے جگمگا رہی ہوگی۔ اس کے رشتے کے تمام بہن بھائی دادا دادی کے گھر جمع ہونگے۔ ہنستے ہوئے، باتیں کرتے ہوئے، پڑوسیوں اور دوستوں میں مٹھائیاں بانٹتے ہوئے۔ شام کے وقت وہ لوگ دیئے جلائیں گے اور لکشمی دیوی، یعنی دولت کی دیوی سے خوشحالی کی دعا مانگیں گے۔ اور پھر۔ آتش بازی!

گیتا نے پریشانی سے کالے بادلوں کی طرف نظر ڈالی۔ "مہربانی کرکے برسنا نہیں۔ اچھا۔"

بابا نے کہا تھا "میں کام سے جلدی گھر آجاؤں گا، آتش بازی لے کر، اپنے نئے گھر میں پہلی دیوالی کے لئے۔"

Today, New Delhi would be glowing with celebration. All her cousins would be together at her grandparents' house, laughing, talking, exchanging sweets with friends and neighbours. In the evening, they'd light diyas, inviting Lakshmi, the Goddess of Wealth to bless them. And then - fireworks!

Gita looked anxiously at the dark clouds. "Please, please, don't rain."

Dad had said, "I'll be home early, with fireworks for our first Diwali in our new home."

یہ دیوالی اس کے دادا دادی والے گھر کی طرح تو نہیں ہو سکتی تھی۔ لیکن پھر بھی اس کی ماں نے ان سب کی من پسند مٹھائیاں بنائی تھیں اور گیتا سے کہا تھا کہ وہ اپنی دوستوں کو دیوالی کی تقریب میں بُلا لے۔ وہ لوگ آتش بازی بھی چھوڑیں گے، خوب بہت سی، دیوالی کا اصل مطلب تو یہی ہے۔ روشنیوں کا تہوار۔

گیتا نے آسمان پر چھائے ہوئے گہرے بادلوں کو گھور کر دیکھا اور پھر اوپر اپنے فلیٹ کی طرف بھاگ گئی۔

"بابا۔ کیا آپ آتش بازی لائے ہیں؟"

"ہاں،" انھوں نے آہستہ سے کہا۔ "لیکن گیتا، دیوالی کا مقصد صرف آتش بازی ہی نہیں ہے۔ اس میں..."

"مجھے دکھایئے۔ بابا۔ کہاں ہے آتش بازی؟"

It wouldn't be like Diwali at her grandparents'. Still, Mum had made their favourite sweets and let Gita invite friends to a Diwali party. They'd have fireworks - lots of them - that's what Diwali was all about, the Festival of Lights.

Gita glared at the grey sky before racing upstairs to their flat.

"Dad, did you get the fireworks?"

"Yes," he said slowly. "But Gita, Diwali isn't just fireworks. There's..."

"Show me, Dad. Where are they?"

بہت نرمی سے بابا نے گیتا کو کھڑکی کی طرف موڑ دیا۔ ایک موٹی سی بوند شیشے سے ٹکرا کر بکھر گئی۔ پھر ایک اور، ایک اور . . . .

"بارش زیادہ دیر تک نہیں رہے گی۔" گیتا بھرّائی ہوئی آواز میں بولی۔

"موسم کی پیشین گوئی کے مطابق آج رات برفیلی بارش ہوگی۔" بابا نے کہا۔ "خیر فکر مت کرو۔ ہم آتش بازی کل چھوڑینگے۔"

"لیکن میں نے اپنی دوستوں سے وعدہ کیا تھا . . . ."

Gently, Dad turned Gita towards the window. A large drop splashed against the glass. Then another and another.

"It won't last long," said Gita, her voice wobbly.

"The forecast says freezing rain tonight," said Dad. "Never mind. We'll have the fireworks tomorrow."

"But I promised my friends..."

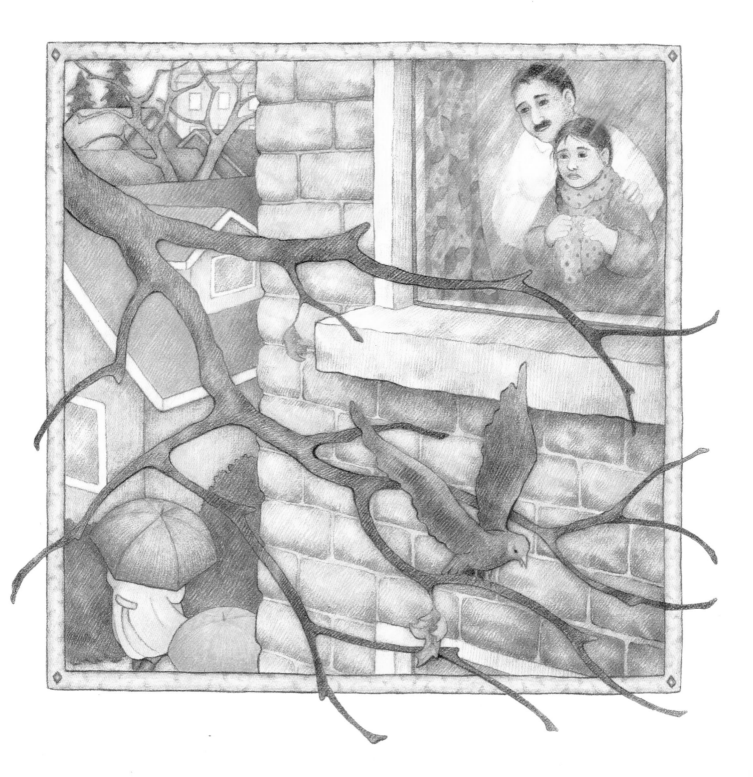

" ہم تمام بتّیاں جلا دیں گے " ماں نے کہا " اور دیئے بھی روشن کریں گے . تم اور تمہاری دوستوں کی پارٹی نہایت شاندار ہو گی ! "

گیتا نے پلک جھپکا کر اپنے آنسو روکے ۔

" آؤ " ماں نے کہا ۔ " اپنے نئے کپڑے پہن لو ۔ پھر ہم دیئے روشن کریں گے ۔ "

"We'll turn on all the lights," said Mum, "and light the diyas. You and your friends will have a lovely party."

Gita blinked back her tears.

"Come," said her mother. "Change into your new dress. Then we'll light the diyas."

گیتا اور اس کی ماں نے مٹی کے ننھّے دیئوں کو کھڑکی کی لگر پر اور کمرے میں جگہ جگہ سجا دیا۔ باہر برف کی لمبی لمبی سلاخیں کھڑکی میں چُبھ رہی تھیں ۔ دیوالی کی رات برفیلی بارش ! بھلا اس جگہ کو ہم گھر کب کہہ سکتے ہیں ؟
پچھلے سال کی دیوالی گرم اور خوشیوں سے بھرپور تھی۔ اس نے اپنے رشتے کے بہن بھائیوں کے ساتھ مل کر زوردار آواز سے پھٹنے والے پٹاخے چھوڑے تھے جن کا نام " لٹل راسکل " تھا۔ اور دادی نے ان کو شہزادہ رام اور ان کی بیوی سیتا کی کہانی سُنائی تھی کہ کس طرح انھوں نے کئی برس بن باس میں گزارے اور پھر ان کی واپسی پر کیسے دیوالی منائی گئی ۔ اور شام کو ان لوگوں نے جگمگاتی ہوئی پھلجھڑیوں کی بارش دیکھی تھی ۔

Gita and her mother placed the little clay pots along the windowsill and around the room. Needles of ice stung the windows. Freezing rain on Diwali! How could this place ever be home?

Last year Diwali had been warm and joyful. She and her cousins had set off noisy crackers called *little rascals* and Grandmother had told them stories of Prince Ram and his wife Sita, of their years of exile and their homecoming on Diwali. And in the evening - dazzling showers of fireworks.

دفعتاً ہوا کے ایک تیز جھونکے نے کھڑکی کو ہلاکر رکھ دیا ۔

گیتا نے غصّے میں اپنی زبان باہر نکال دی ۔ تم اندر نہیں آسکوگے ! تم میری پارٹی برباد نہیں کرسکتے !

ماں ، چوڑیاں چھنکاتی دیئوں میں سرسوں کا تیل ڈال رہی تھیں ۔

جیسے ہی انھوں نے یہ کام ختم کیا ٹیلیفون کی گھنٹی بجی ۔

گیتا صبر سے اپنی ماں کی واپسی کا انتظار کرتی رہی ۔

" کیا میں پہلا دیا جلا سکتی ہوں ؟ "

ماں بس مسکرا دیں اور گیتا کے بالوں پر ہاتھ پھیرا ۔ " وہ جینی اور شبانہ کا ٹیلیفون تھا ۔ برف کی وجہ سے کار چلانا مشکل ہے ۔ وہ لوگ نہیں آسکتیں ، "

ٹیلی فون کی گھنٹی پھر بج اٹھی ۔

A sudden gust of wind rattled the window. Gita stuck out her tongue. *You can't come in! You won't spoil my party!*

Mum, bangles tinkling, filled the diyas with mustard oil. As she finished, the phone rang.

Gita waited impatiently as her mother came back. "Can I light the first diya?"

Mum just smiled and smoothed Gita's hair. "That was Jennie and Shabana. It's too icy to drive. They can't come."

The phone rang again.

گیتا اپنے کمرے کی طرف بھاگ گئی اور اپنا سر بستر میں چھپالیا۔ "مجھے اس جگہ سے نفرت ہے۔" اس نے سسکی بھری۔

ماں نے اس کو پیار سے لپٹا لیا۔ "ایمی نے ٹیلیفون نہیں کیا ہے۔ اور وہ تو قریب ہی رہتی ہے۔"

گیتا الگ ہوگئی اور اپنی ناک پونچھی۔

"گیتا" ماں نے آہستہ سے کہا "دیوالی تو دراصل اندھیرے کو روشنیوں سے جگمگانے کا نام ہے صرف آتش بازی ہی کافی نہیں ہے۔ ہمیں تو یہ کام خود ہی کرنا ہوگا۔" ماں کی مسکراہٹ میں چمک کے ساتھ کچھ اُداسی بھی شامل تھی۔

جیسے دادی کی مسکراہٹ جب انھوں نے ان سب کو الوداع کہا تھا

کافی دیر تک گیتا چپ چاپ بیٹھی رہی۔ پھر اس نے مسکرانے کی کوشش کرتے ہوئے کہا۔

"چلیں۔ اب دیئے جلاتے ہیں۔"

Gita ran to her room and burrowed into bed. "I *hate* this place," she sobbed.

Mum gently hugged her. "Amy hasn't called. And she does live nearby."

Gita pulled away and blew her nose.

"Gita," said Mum softly. "Diwali is really about filling the darkness with light. Fireworks can't do it for us. We must do it ourselves." Mum's smile was bright, but also sad - like Grandmother's smile when they'd said goodbye.

For a long moment Gita sat still. Then she managed a smile. "Let's light the diyas."

ایک ایک کر کے سُنہرے شعلے ہوا میں لہرائے پھر سرسوں کے تیل کی گرم خوشبو کے ساتھ بھڑک اُٹھے۔ جیسے ہی گیتا نے آخری دیا جلایا بجلی کی روشنی آنکھ مچولی کھیلنے لگی۔ آئی، گئی اور پھر آگئی۔ پھر تمام روشنیاں، فلیٹ کی، مکانوں کی اور یہاں تک کہ سڑک کی بھی، ایک دم بجھ گئیں۔ دیوالی کی رات میں تاریکی۔ گیتا کے گلے میں پھندہ سا پڑ گیا۔ پھر اس نے ہنسنا شروع کر دیا۔

One by one, golden flames quivered and sprang to life with the warm fragrance of mustard oil.

Just as Gita lit the last one, the electric lights flickered - on, off, on again. Then all the lights - in the flat, in the houses, even in the street - died.

Darkness on Diwali! Gita's throat tightened.

Then she began to laugh.

اس اچانک ہونے والی تاریکی میں ان کے دیئے جگمگا اٹھے ۔ چم چم ۔ چم چم ۔ چمک بڑھتی ہی گئی اور
ان کا نشست کا کمرہ روشنیوں سے بھر گیا ۔

" ہم نے تاریکی کو ہرادیا ۔ ہم نے تاریکی کو ہرادیا ! " گیتا نے خوش ہو کر تالی بجائی ۔

" لکشمی آئے گی اور ہماری قسمت جاگ اُٹھے گی " ماں نے کہا ۔

گیتا نے گنگنانا شروع کر دیا ۔ وہ کھڑکی سے باہر دیکھ رہی تھی جہاں برفیلی بارش کی بوندیں ہوا میں چمکتی ہوئی اُڑ رہی تھیں ۔

آہستگی سے ، ایک کار کی روشنیاں سڑک پر آ کر ان کی بلڈنگ کے سامنے رک گئیں ۔

In the sudden rush of darkness their diyas glowed - bright, brighter, brightest - filling the living room with light.

"We beat the darkness, we beat the darkness!" Gita clapped her hands.

"Lakshmi will come and we'll have wonderful luck," said Mum.

Gita sang softly, watching drops of freezing rain glitter as they flew past the window.

Slowly, the headlights of a car came down the street and stopped in front of their building.

"یہ تو ایمی ہے ! "گیتا چلائی۔

جب بابا ٹارچ لے کر نیچے اتر رہے تھے تو گیتا ان کے آگے آگے روشنی کے لہراتے ہوئے دائروں میں بھاگ گئی ۔ اس نے باہر کا دروازہ کھولا ۔ احتیاط کے طور پر کچھ قدم پیچھے ہٹی ۔ اور پھر رک گئی ۔ پوری آنکھیں کھولے ہوئے . . . .

ساری دنیا چم چم کر رہی تھی ۔ سڑک کے کنارے چلنے کے راستے ۔ ہر شاخ ، ہر تنکا ، بجلی کا لیمپ ، یہانتک کہ گھاس کے لمبے پتے بھی !

اس تاریک شہر میں صرف ان ہی کی کھڑکی تھی جو دیئے کی ٹھہری ہوئی روشنی سے جگمگ جگمگ کر رہی تھی ۔ برف پران دیئوں کی چمک پڑ رہی تھی اور آتش بازی کی طرح رقص کر رہی تھی ۔

"It's Amy!" shouted Gita.

As Dad went downstairs with a torch, Gita ran ahead in the bouncing circle of light. She opened the front door, took a few cautious steps then stopped, eyes wide.

The whole world glistened - the pavements, every branch, every twig, the lamp post, even the blades of grass!

In the dark city, only their windows blazed with the steady glow of diyas. The ice, reflecting their light, sparkled and danced like fireworks.

ـــ " اوہ ، یہ سب کتنا خوبصورت ہے! "

گیتا کی آنکھیں چمک رہی تھیں۔ کل وہ اپنے دادا دادی کو اپنی اس نئی دیوالی کے متعلق لکھے گی ۔
"آؤ، ایمی ۔ آنکھ مچولی کھیلتے ہیں۔ جب تک بجلی غائب ہے ۔"
اس نے برف کی تہوں پر چمکتی ہوئی روشنی کی کرن پر آخری نظر ڈالی ۔ "آؤ"، وہ چلّائی "اپنے گھر تک دوڑ لگاتے ہیں! "

"Oh, it's brilliant!" said Amy.

Gita's eyes shone. Tomorrow she'd write to her grandparents about this new Diwali. "Hey Amy, let's play hide and seek while the power's still out."

She took one last look at the light shining in the heart of the ice. "Come on," she shouted. "Race you home!"

The author gratefully acknowledges the support of the Regional Municipality of Ottawa-Carleton. Thanks also to Charis Wahl for her insightful editing; the many members of the Ottawa Chinmaya Mission who answered so many questions; and Mary Tilberg for her feedback.

For Deepak
R.G.

For my sister, Hermione
A.P.

First published in 1994, Toronto, Canada by Second Story Press

Published by
MANTRA PUBLISHING LTD
5 Alexandra Grove,
London N12 8NU